Edición: Carolina Venegas Klein
Diseño de la colección y cubierta: Wilson Giral Tibaquirá

GRUPO
EDITORIAL
norma

Bogotá, Barcelona, Buenos Aires, Caracas, Guatemala, Lima, México, Miami,
Panamá, Quito, San José, San Juan, San Salvador, Santiago de Chile, Santo Domingo

Ilustraciones por The Disney Storybook Artists
Inspirado en el arte y los personajes creados por Pixar Animation Studios.

© 2006 Disney Enterprises, Inc. / Pixar.
Versión en español por Editorial Norma S.A. A.A. 53550, Bogotá, Colombia.
Todos los derechos reservados para Argentina, Bolivia, Chile, Colombia, Costa Rica, El Salvador, Ecuador,
Guatemala, México, Panamá, Paraguay, Perú, República Dominicana, Uruguay y Venezuela. Printed in Colombia.
Impreso en Colombia por Editora Géminis Ltda.
Mayo de 2006. ISBN 958-04-9270-0

La carrera más importante del año, las 400 de Dinoco, está a punto de comenzar. Todos los autos se encuentran listos para partir.

La multitud apoya a sus autos favoritos y entre ellos está 'El Rayo' McQueen, quien se convertiría en el primer auto novato en ganar la Copa Pistón.

—Soy velocidad —repite el auto—. Soy 'El Rayo'.

Finalmente, entra al estadio. *Flashes* de cámaras fotográficas se ven por todas partes. Sin duda alguna es el favorito.

Mientras tanto, El Rey, campeón durante los últimos años, da una rueda de prensa en el escenario de Dinoco, su patrocinador. El Rey ahora es muy famoso, pero ha llegado la hora de dar un paso al costado. Está listo para retirarse y esta es su última carrera.

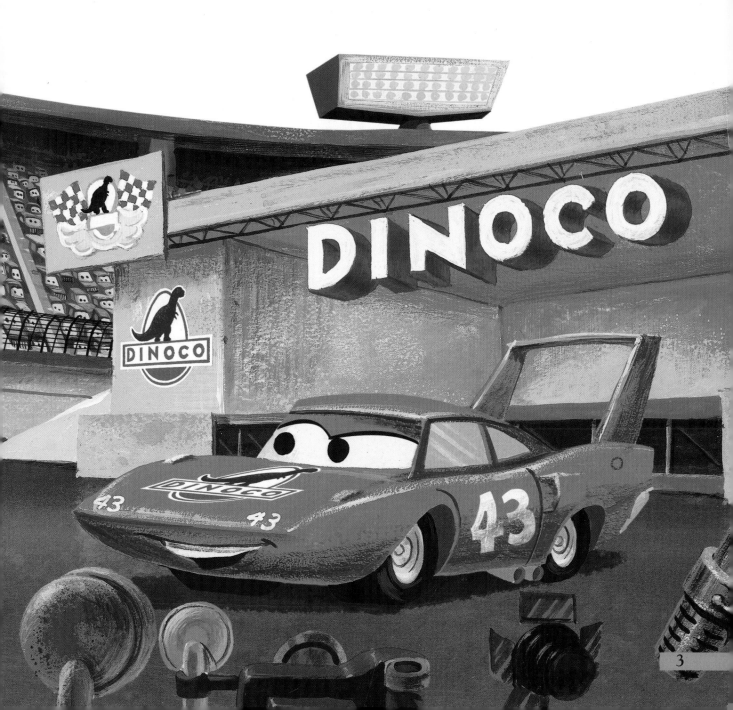

Otro auto, Chick Hicks, está encantado con el retiro de El Rey. El despiadado auto está listo para ganar el patrocinio de Dinoco que le dio la fama a El Rey. No importa qué clase de trucos sucios deba usar o por encima de quién deba pasar… en este caso ese "quién" es obviamente McQueen, su rival número uno en la competencia por el patrocinio.

¡Rrrumm! ¡Rrumm! ! Los autos parten.

Durante la carrera, Chick provoca un accidente para bloquear a McQueen, pero éste logra sobrepasar la pila de autos y toma la delantera.

Para ahorrar tiempo y arriesgándose demasiado, McQueen ignora el consejo de su equipo y no cambia sus neumáticos en la parada de pits.

Durante la última vuelta, ¡los dos neumáticos traseros de McQueen estallan! Entonces, El Rey y Chick rápidamente lo alcanzan en la línea de meta.

—¡Han llegado demasiado cerca como para decidir quién gana! —chilla el comentarista.

Mientras la repetición instantánea es analizada, McQueen alardea ante todos. Está convencido de haber ganado y sueña con la fama… ¡hasta que el comentarista reporta que es un triple empate! Él, El Rey y Chick deben ir a California para una carrera de desempate.

McQueen no puede esperar a ganar la carrera y también el fabuloso patrocinio de Dinoco.

Muchas largas horas después, el conductor de McQueen, Mack, lleva al novato por la autopista hacia California.

—Debemos conducir toda la noche —insiste McQueen.

Mientras Mack lucha por mantener los ojos abiertos, una pandilla de autos lo sorprenden y hacen que gire bruscamente.

McQueen, quien dormía en la parte de atrás, ¡se desliza hacia la autopista Interestatal! Entrando en pánico, se aleja de la Interestatal para buscar a Mack y termina en la Ruta 66.

Es ahí cuando nota que unas luces lo siguen.

¡*Bang!* ¡*Bang!* ¡*Bang!* Suena el tubo de escape del alguacil.

—¿Por qué me dispara? —piensa McQueen, mientras entra en pánico y acelera descuidadamente por la vía principal de un pequeño pueblo, arrastrando con él la estatua del fundador del lugar y destruyendo la calle entera.

Logra detenerse sólo en el momento en que queda atrapado entre dos postes del teléfono.

—Vaya si estás en problemas —le dice Sheriff, el alguacil del pueblo.

A la mañana siguiente, McQueen despierta encerrado en el depósito municipal del pueblo.

—Mi nombre es Mate —le dice un amistoso camión de remolque.

—¿Dónde estoy? —le pregunta McQueen al oxidado camión.

—Radiador Springs —contesta Mate orgullosamente.

Justo entonces, aparece Sheriff, ha llegado la hora de llevar a McQueen a la corte.

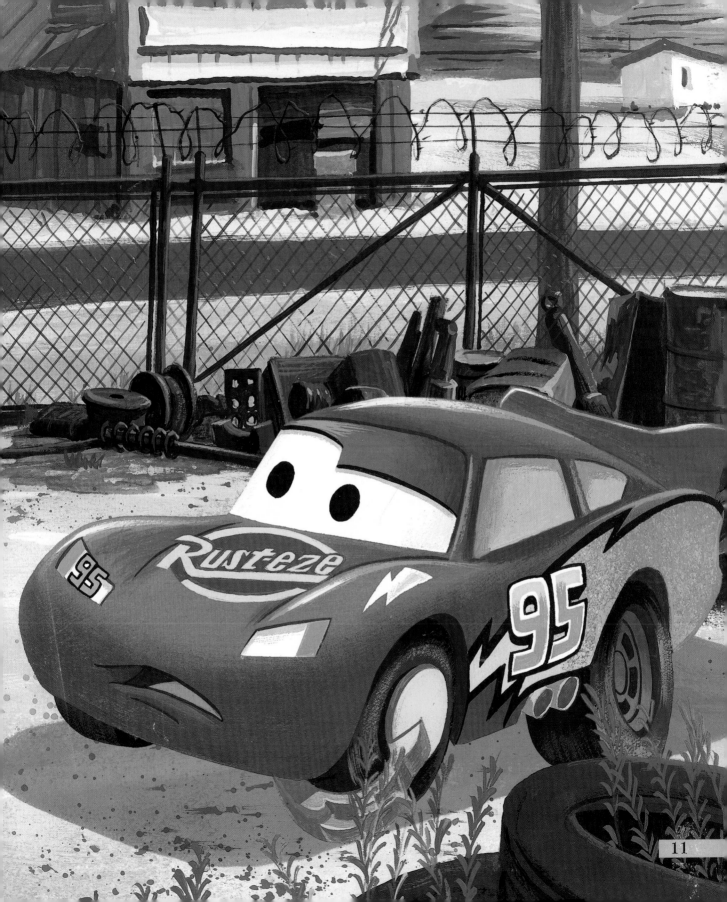

La corte está repleta. Los habitantes del pueblo están furiosos porque McQueen ha arruinado la calle principal. El juez, Doc Hudson, rápidamente le ordena que se marche, pero Sally, la abogada del pueblo, tiene otra idea.

—Haz que este tipo repare la calle —dice el auto deportivo azul.

Los demás están de acuerdo y Doc da su veredicto: McQueen no puede marcharse de Radiador Springs hasta que repare la calle.

McQueen pronto conoce a Bessie, la impresionante máquina pavimentadora que debe usar para renovar la calle.

McQueen quiere marcharse de allí inmediatamente, entonces se apresura con Bessie. Después de una hora, anuncia que ha terminado, ¡pero la calle es un desastre!

Ofendido, Doc mira con rudeza a McQueen y lo reta a una carrera.

—Si ganas, te vas y yo reparo la calle. Si yo gano, haces la calle como yo quiera —dijo.

Al llegar a la pista de polvo, McQueen se adelanta rápidamente, pero en un giro inesperado, cae en una zanja.

Doc gana la carrera con facilidad.

Humillado, McQueen regresa al trabajo, deshace lo que había hecho y empieza a pavimentar la calle nuevamente.

A la mañana siguiente, los habitantes del pueblo despiertan para ver una nueva, lisa y hermosa sección de calle. Incluso Doc está impresionado, pero ¿dónde está McQueen?

Se encuentra en la pista de polvo, practicando el giro que no logró hacer el día anterior. Doc lo encuentra y le da un consejo: gira a la derecha para ir a la izquierda. Pero McQueen no quiere escucharlo, ¿qué puede saber Doc sobre correr?

De vuelta en el pueblo, McQueen vuelve a su trabajo. Todos están felices y deciden redecorar y arreglar sus tiendas. Están más orgullosos que nunca de su pueblo.

Incluso Sally, para agradecerle el buen trabajo, invita a McQueen a quedarse esa noche en la posada.

Esa noche, Mate lleva a McQueen a voltear tractores para divertirse y McQueen le cuenta cómo es la vida de un auto de carreras.

—Seré el primer novato en la historia en ganar. Estamos hablando de un gran patrocinio, con helicópteros privados…

McQueen incluso promete llevar a Mate a dar un paseo en helicóptero.

—Sabía que había tomado una buena decisión —le dijo Mate.

—¿Sobre qué? —preguntó McQueen.

—Mi mejor amigo —dijo Mate.

McQueen sonreía mientras Mate se alejaba. ¡Un mejor amigo!

Al otro día, mientras McQueen espera su ración diaria de combustible, entra al garaje de Doc y la ve: una vieja Copa Pistón. McQueen no puede creerlo. ¡Doc es 'El Fabuloso Hudson Hornet'!

Cuando Doc encuentra a McQueen, se enfurece y empujándolo lo saca del garaje.

Durante la tarde, McQueen sorprende a Doc corriendo en la pista de polvo. ¡Es increíble! McQueen lo sigue de vuelta a su garaje.

—¿Cómo pudo un auto como tú renunciar en la cima de su carrera? —pregunta McQueen.

Pero Doc le cuenta la verdad. Un día Doc tuvo un accidente que lo alejó de las carreras, cuando se recuperó volvió para ver que lo habían reemplazado por un novato, un novato como McQueen.

A la mañana siguiente, ¡la calle principal está lista! Pero McQueen todavía no se marcha sino que se convierte en el mejor cliente que el pueblo ha tenido en mucho tiempo.

Adquiere nuevos neumáticos donde Luigi, combustible orgánico donde Fillmore, provisiones del almacén de Sargento, autoadhesivos en la tienda de Lizzie y un nuevo trabajo de pintura en el taller de Ramón.

—Parece que has ayudado a todos en el pueblo —le dice Sally agradecida.

Es casi perfecto…

… hasta que ven un sinnúmero de luces que se aproxima al pueblo.

—¡Hemos encontrado a McQueen! —ruge una voz desde un helicóptero.

¡Una multitud de reporteros ha invadido el pueblo!

—Siento haberte perdido, jefe —dice Mack aliviado al ver al novato.

McQueen ve a Sally entre la multitud y no sabe cómo decirle adiós.

—Buena suerte en California —le dice Sally tristemente, perdiéndose entre la multitud.

Mack apresura a McQueen para que entre al tráiler. Al salir del pueblo, los reporteros lo siguen, menos uno que se detiene para agradecerle a Doc. ¡Fue él quien les dijo en donde encontrar a McQueen!

Todos en el pueblo están tristes y se marchan a casa. Doc se queda solo.

Pronto, McQueen llega a California, ¡es la carrera más importante de su vida! Pero su corazón no está del todo ahí. McQueen no puede dejar de pensar en los amigos que ha dejado atrás y, mientras tanto, El Rey y Chick se apoderan de la pista.

De repente, McQueen oye una voz familiar en el radio. ¡Es Doc! ¡Todos sus amigos de Radiador Springs han venido a ser parte de su equipo!

Cuando sus admiradores se dan cuenta de que 'El Fabuloso Hudson Hornet' es el capitán del equipo, ¡no pueden aguantar la emoción!

—Si puedes conducir tan bien como puedes arreglar una calle, ¡entonces puedes ganar esta carrera con los ojos cerrados! —le grita.

McQueen arranca determinado, incluso usa el truco de "gira a la derecha para ir a la izquierda" que Doc le enseñó en Radiador Springs.

Pronto alcanza la delantera, pero, cuando está listo para cruzar la línea de llegada y ganar la carrera, se detiene. Chick había hecho que El Rey se estrellara, pero McQueen regresa hacia donde está El Rey y lo empuja hasta la meta.

Chick finalmente gana la Copa Pistón, ¡pero sus fanáticos lo abuchean!

McQueen se une a sus amigos. Nunca se había sentido tan feliz.

De vuelta en el pueblo, McQueen sorprende a Sally y le cuenta que ha decidido establecerse en Radiador Springs.

En ese momento llega Mate volando. Aunque McQueen no ganó la carrera, cumple su promesa.

—¡Él es mi mejor amigo! —exclama McQueen riendo.

El engreído auto de carreras finalmente ha aprendido algo sobre la amistad… y ha aprendido que la vida no es sólo acelerar y ser rápido, sino también detenerse un momento para disfrutar de las cosas.

McQueen está por fin en casa.